**N° 1**

Un roman épique de

# DAV PILKEY

Adaptation de Grande Allée Translation Bureau

Les éditions Scholastic

Pour David et Nancy Melton
en toute reconnaissance



ISBN 0-439-00543-4

Titre original : The Adventures of Captain Underpants

Édition publiée par Les éditions Scholastic, 175 Hillmount Road,
Markham (Ontario) Canada L6C 1Z7

4 3 2 1 Imprimé au Canada 0 1 2 3 4 / 0

# TABLE DES MATIÈRES

1. Georges et Harold . . . . . . . . . . . . . . . . . . . . . . 1
2. Les éditions de l'arbre inc. . . . . . . . . . . . . . . . . . 5
3. Les aventures du capitaine Bobette . . . . . . . . . 9
4. Le méchant M. Bougon . . . . . . . . . . . . . . . . . 17
5. Un de ces jours... . . . . . . . . . . . . . . . . . . . . . . 21
6. Pris au piège . . . . . . . . . . . . . . . . . . . . . . . . . 29
7. Un peu de chantage . . . . . . . . . . . . . . . . . . . 35
8. Crime et châtiment . . . . . . . . . . . . . . . . . . . 39
9. De 4 à 6 semaines plus tard . . . . . . . . . . . . . 45
10. L'Anneau hypnotique 3-D . . . . . . . . . . . . . . . 47
11. Les hypnotiseurs . . . . . . . . . . . . . . . . . . . . . 51
12. Les aventures du capitaine Bougon . . . . . . . . 57
13. Bandits . . . . . . . . . . . . . . . . . . . . . . . . . . . . 61
14. Le Big Bang . . . . . . . . . . . . . . . . . . . . . . . . . 67
15. Le docteur Couche . . . . . . . . . . . . . . . . . . . . 73
16. Chapitre d'une extrême violence . . . . . . . . . . 79
17. Fuite . . . . . . . . . . . . . . . . . . . . . . . . . . . . . . 99
18. Bref... . . . . . . . . . . . . . . . . . . . . . . . . . . . . 107
19. De retour à l'école . . . . . . . . . . . . . . . . . . . 108
20. Fin? . . . . . . . . . . . . . . . . . . . . . . . . . . . . . . 117

# CHAPITRE 1
# GEORGES ET HAROLD

Voici Georges Barnabé et Harold Hébert. Georges, c'est l'enfant à gauche qui porte une cravate, et dont les cheveux sont coupés carré. Harold est le garçon aux cheveux fous qui se trouve à droite et porte un T-shirt. Ils vont t'accompagner tout au long de l'histoire.

Georges était le meilleur ami d'Harold. Ils avaient beaucoup de choses en commun. Ils étaient voisins et étaient tous deux en quatrième année à l'école Jérôme-Hébert.

Georges et Harold étaient d'habitude des enfants « responsables ». C'est-à-dire que, presque chaque fois qu'il y avait une bêtise, Georges et Harold en étaient responsables.

Ne va surtout pas t'imaginer qu'ils étaient de vilains garnements. Au contraire, Georges et Harold étaient de très gentils garçons. Quelle que soit l'opinion des autres, ils étaient gentils, doux et adorables... Hum, peut-être pas si adorables que ça après tout, mais ils avaient un bon fond.

Le problème, c'est qu'ils avaient un petit côté farceur, enfin un gros côté farceur qu'ils n'arrivaient pas à maîtriser. Et parfois, cela leur amenait des ennuis. Comme nous le verrons plus tard, cela leur a même amené de GROS ennuis.

Mais, avant de te raconter cette histoire-là, en voici une autre.

# CHAPITRE 2
# LES ÉDITIONS DE L'ARBRE INC.

Après une dure journée de farces et attrapes et de coups de tous genres à l'école, Georges et Harold couraient à toute vitesse vers leur bonne vieille maison dans l'arbre, situé dans la cour chez Georges. À l'intérieur se trouvaient deux gros fauteuils en peluche, une table, une étagère pleine de bonbons et une caisse cadenassée remplie de crayons, de stylos et de feuilles de papier. Des piles et des piles de papier!

Harold adorait dessiner et Georges, inventer des histoires. Ensemble, ils passaient des heures et des heures à faire leurs propres albums de bandes dessinées.

Au cours des années, ils avaient créé des centaines d'albums où figuraient plusieurs des superhéros qu'ils avaient inventés. Le premier s'appelait *L'homme-chien*; le deuxième, *Bola, la toilette parlante*. Et qui pourrait oublier *L'incroyable femme-panthère*?

Mais le meilleur restait à venir : le plus grand des superhéros, l'extraordinaire *capitaine Bobette*.

C'est Georges qui en a eu l'idée.

« La plupart des superhéros ont l'air de voler en bobettes, dit-il. Eh bien! Celui-là, il volera vraiment en bobettes! »

Les deux garçons se mirent à rire.

« C'est ça, dit Harold, il pourrait se battre au *Bobette Power*. »

Georges et Harold passaient des après-midi entiers à écrire et à dessiner les aventures du capitaine Bobette, le plus grand superhéros qu'ils aient jamais créé.

Profitant du fait que la secrétaire de l'école primaire Jérôme-Hébert était trop occupée pour surveiller la photocopieuse, Harold et Georges avaient l'habitude de tirer des centaines de copies des dernières aventures du capitaine Bobette.

Après les classes, ils vendaient leurs albums maison dans la cour de l'école à 50 ¢ chacun.

CHAPITRE 3
LES AVENTURES
DU CAPITAINE BOBETTE
Texte : Georges Barnabé
Illustrations : Harold Hébert

# Les superaventures du CAPITAINE BOBETTE

Texte : Georges Barnabé · Illustrations : Harold Hébert

Il était une foie une époque sombre pour la planette Terre. Les méchants contrôlaient la planète et tous les superhéros étaient trop vieux pour les combattre.

C'est talors qu'est arrivé un tout nouveau héros aux pouvoirs améliorés.

Le capitaine Bobette courait plus vite qu'un calesson lancé à toute vitesse...
VROUM
Plus fort qu'un boxer...
et pouvait sauter par-dessus les imeubles les plus hauts sans s'accrocher les bobettes.
Tra-la-laaa!
Jour et nuit, le capitaine Bobette gardait la ville, fessait rainier la vérité et la justice et se battait pour tous les tissus prérétrécis et faits de coton.
Pendant ce temps-là, dans une école primaire du voisinage...
Page suivante

À la cafétéria,
c'était le jour de la
« poutine puante ».
VROUM
Beurk!
Tous les élèves les haïssaient
tellement qu'ils les ont toutes
jetées à la poubelle.
POUBELLE
POUBELLE
Et puis la poutine s'est
transformée en monstre.
Je suis
JABBA POUTINE.
Le monstre semait
la terreur dans l'école
et dévorait tout
sur son passage.
CROUNCH

Au secours! Jabba Poutine vient de manger 15 chaises pliantes et le prof de gym!
Oh non! Pas les chaises pliantes!
DIRECTEUR
On dirait qu'on a besoin du...
Tra-la-laaa!
CAPITAINE BOBETTE!
Le capitaine Bobette lui a lancé plein de calessons, mais le monstre a résisté à l'attaque.
ZIP
CROUNCH
CROUNCH

Le capitaine Bobette s'est donc enfui. Jabba Poutine lui a couru après.
GRRR
Au secours!
Dans un sens...
Puis dans l'autre...
À la fin, Jabba Poutine était tellement fatigué et avait tellement soif qu'il a été oubligé de soufler un peu.
Garçons
Ça te tenterait pas, un bon ver d'eau?

Le monstre prenait une grande gorgez d'eau dans la bole de toilette.
GLOU GLOU
Lorsque, tout à coup...
FLOUCHE
VIVE LE CAPITAINE BOBETTE!
Cette ainsi que Jabba Poutine est disparu de la surface de la Terre.
TRA-LA-LAAA
FIN.

Ne manquez pas
notre prochaine aventure :
LE CAPITAINE
BOBETTE
et
L'ATTAQUE DES
TOILETTES PARLANTES
Bientôt dans une cour d'école
près de chez vous.

LES ÉDITIONS
DE L'ARBRE INC.

# CHAPITRE 4
# LE MÉCHANT M. BOUGON

Vois-tu le vieux monsieur à la fenêtre?

C'est M. Bougon, le directeur de l'école.

M. Bougon est le directeur d'école le plus méchant et le plus amer de toute l'histoire de l'école primaire Jérôme-Hébert. Il hait entendre rire ou chanter. Il hait entendre les enfants jouer à la récréation. Bref, il hait tout simplement les enfants.

Et devine quels sont les enfants que M. Bougon hait le plus?

Si tu as répondu Georges et Harold, tu as deviné juste! M. Bougon *hait* sérieusement Georges et Harold.

Il hait leurs farces. Il hait leur attitude moqueuse et leurs ricanements perpétuels. Et il hait tout spécialement leurs albums du *capitaine Bobette*.

M. Bougon a fait le serment de prendre les garçons au piège un de ces jours. « Un de ces jours... »

## CHAPITRE 5
# UN DE CES JOURS...

Te souviens-tu d'avoir lu qu'un jour, le petit côté farceur de Georges et d'Harold leur avait amené des ennuis, de très gros ennuis? Eh bien, voici comment ça s'est passé. Tu verras comment leurs mauvais tours (et leur petit chantage) ont transformé leur directeur en superhéros, le plus grand de tous les temps.

C'était le jour de la grande partie de football entre les Koalas de Jérôme-Hébert et les Mouffettes de Sainte-Bénite. Les fans avaient envahi les gradins.

Dès leur arrivée sur le terrain, les meneuses de claque se mettent à agiter leurs pompons au-dessus de leur tête.

Tombant de leurs pompons, une fine poudre noire se met à les asperger.

« Donnez-moi un K! », crient les meneuses.

« Un K! », répète la foule.

« Donnez-moi un O! », crient les meneuses.

« Un O! », répète la foule.

« Donnez-moi un… atchOUm! », crient les meneuses.

« Un atchOUm! », répète la foule.

Les meneuses de claque éternuent, éternuent et éternuent encore. Elles ne peuvent plus s'arrêter.

« Hé! crie l'un des fans des gradins. Quelqu'un a mis du poivre dans les pompons des meneuses. »

« Je me demande qui a fait ça », dit un autre fan.

Pendant que les meneuses de claque s'enfuient en éternuant, la morve au nez, la fanfare fait son entrée dans le stade.

Lorsque les musiciens se mettent à jouer, des bulles commencent à sortir de leur instrument. Il y a des bulles partout! Les musiciens glissent d'un bout à l'autre du stade et laissent derrière eux une épaisse trace de mousse.

« Hé! crie l'un des fans des gradins. Quelqu'un a mis du produit moussant pour le bain dans les instruments. »

« Je me demande qui a fait ça », dit un autre fan.

Puis arrivent les équipes de football. Les Koalas frappent le ballon, qui monte haut vers le ciel, haut, très haut, de plus en plus haut. Il disparaît au milieu des nuages et jamais personne ne le revoit.

« Hé! crie l'un des fans des gradins. Quelqu'un a mis de l'hélium dans le ballon. »

« Je me demande qui a fait ça », dit un autre fan.

Mais le ballon n'a plus aucune importance car, à ce moment-là, les Koalas se roulent par terre en se grattant comme des possédés.

« Hé! crie l'entraîneur. Quelqu'un a mis de la poudre à gratter dans la lotion pour les muscles. »

« Je me demande qui a fait ça », disent les fans dans les gradins.

Tout l'après-midi se passe de la même façon. Les gens crient : « Hé! quelqu'un a mis quelque chose dans la limonade! » ou « Hé! je n'arrive pas à ouvrir les portes des toilettes. Quelqu'un les a collées. »

Les gradins se vident rapidement et on annule la partie. Tous les élèves se sentent malheureux.

Tous les élèves? Non! Deux élèves se tordent de rire sous les gradins.

« C'est les meilleures farces qu'on ait jamais faites! », dit Harold en riant.

« Ouais, ajoute Georges. Ça va être dur de faire mieux que ça. »

« J'espère juste qu'on ne se fera pas punir », dit Harold.

« T'en fais pas! répond Georges. On a brouillé les pistes comme des pros. C'est impossible qu'on se fasse prendre. »

# CHAPITRE 6
# PRIS AU PIÈGE

Le lendemain à l'école, les haut-parleurs diffusent le message suivant :

**« Georges Barnabé et Harold Hébert,**
**veuillez vous présenter immédiatement**
**au bureau du directeur. »**

« Oh! Oh! dit Harold. Je n'aime pas ça. »

« Ne t'en fais pas, ajoute Georges. Ils ne peuvent rien prouver. »

Georges et Harold entrent dans le bureau du directeur et s'assoient sur les chaises en face du pupitre. Ce n'est pas la première fois que Georges et Harold se retrouvent dans le bureau du directeur mais, cette fois, c'est différent : M. Bougon sourit. Depuis le temps que Georges et Harold connaissent M. Bougon, jamais ils ne l'ont vu sourire. Le directeur est au courant de quelque chose.

« Je ne vous ai pas vus à la partie d'hier », commence M. Bougon.

« No-on, répondit Georges. On se sentait pas bien. »

« Ce… c'est ça, ajoute Harold en bégayant. On, on est allés chez… chez nous. »

« Quel dommage! dit le directeur. Vous avez manqué une belle partie. »

Georges et Harold échangent un coup d'œil rapide, avalent leur salive et essaient de ne pas avoir l'air coupable.

« Heureusement pour vous, j'ai tout enregistré sur vidéo », dit M. Bougon. Il allume la télé et met en marche le magnétoscope.

Une image en noir et blanc apparaît à l'écran. C'est une vue en plongée de Georges et d'Harold en train de saupoudrer du poivre dans les pompons des meneuses de claque. Sur l'image suivante, on retrouve les mêmes Georges et Harold en train de verser du liquide moussant pour le bain dans les instruments de la fanfare.

« La période préparatoire était intéressante, non? », demande M. Bougon en arborant un sourire diabolique.

Georges regarde l'écran avec terreur. Il ne peut pas répondre. Harold, quant à lui, regarde la pointe de ses chaussures. Il n'arrive pas à lever les yeux.

La vidéo continue de tourner, révélant tous les agissements de Georges et d'Harold « derrière la scène ». Les garçons ont maintenant les yeux rivés au plancher. Ils se tortillent nerveusement, le corps trempé de sueur.

M. Bougon éteint la télé.

« Vous savez, explique le directeur, une farce n'attend pas l'autre depuis que vous êtes arrivés à l'école. Vous avez commencé par mettre des grenouilles dans la salade au Jell-O du banquet de la réunion parents-enseignants, puis vous avez fait neiger dans la cafétéria. Ensuite, vous vous êtes arrangés pour que l'intercom joue des chansons de l'oncle Georges à plein volume pendant six heures d'affilée. »

« Ça fait quatre longues années que vous faites la foire et je n'ai jamais rien pu prouver. Enfin, jusqu'à maintenant… »

M. Bougon tient la vidéo dans sa main. « J'ai pris la liberté d'installer de petites caméras de surveillance dans toute l'école. Je savais qu'un jour ou l'autre, je vous attraperais. Mais je ne savais pas que ce serait aussi facile que ça! »

# CHAPITRE 7
# UN PEU DE CHANTAGE

M. Bougon se rassoit et se met à ricaner. Les enfants croient qu'il ne s'arrêtera jamais. Après une longue pause sinistre, Georges prend son courage à deux mains et lui demande en bégayant :

« Que qu'est-ce vous vous allez faire de la vidéo? »

« Eh bien, mes enfants, je vais me faire un plaisir de vous le dire », dit le directeur en riant.

« J'ai réfléchi longtemps à ce que j'allais faire de cet enregistrement. J'ai d'abord pensé l'envoyer à vos parents. »

Une grosse boule dans la gorge, les garçons s'enfoncent dans leur siège.

« Ensuite, j'ai pensé en envoyer une copie à la commission scolaire. Vous savez, je pourrais vous renvoyer pour ça. »

Une boule encore plus grosse dans la gorge, les garçons s'enfoncent davantage dans leur siège.

« Finalement, j'ai pris une décision. Je crois que l'équipe de foot serait, ma foi, très curieuse de savoir qui est responsable du fiasco d'hier. Je crois bien que c'est à eux que je vais envoyer la copie. »

Georges et Harold bondissent de leur siège et tombent à genoux.

« Non! crie Georges. Vous ne pouvez pas faire ça. Ils vont nous tuer. »

« Non! supplie Harold. Ils vont nous tuer tous les jours pour le reste de notre vie. »

M. Bougon se met à rire, mais à rire!

« Pitié! On est prêts à faire n'importe quoi », crient-ils ensemble.

« N'importe quoi? », demande le directeur avec un grand sourire. Il prend une liste de règlements dans son pupitre et la remet aux deux garçons. « Si vous voulez rester en vie jusqu'à la fin de vos jours, vous suivrez ces règlements à la lettre. »

Georges et Harold examinent la liste attentivement.

« Mais… mais c'est du chantage », dit Georges.

« Si vous voulez, répond sèchement le directeur. L'important c'est que, si vous ne suivez pas ces règlements à la lettre, la vidéo va devenir la propriété des Koalas. »

# CHAPITRE 8
# CRIME ET CHÂTIMENT

Le lendemain, Georges et Harold se tirent péniblement du lit à six heures du matin, se traînent jusque chez M. Bougon et commencent à laver sa voiture.

Ensuite, pendant qu'Harold frotte les pneus, Georges enlève les mauvaises herbes de la cour. Puis ils nettoient les gouttières et lavent toutes les vitres de la maison.

À l'école, Georges et Harold se tiennent droit sur leur chaise, écoutent attentivement et parlent seulement lorsqu'on leur en donne la permission. Ils ne racontent aucune histoire drôle et ne font pas de farces. Ils ne sourient même pas.

Leur professeure n'en revient pas. « C'est trop beau pour être vrai », dit-elle.

À l'heure du dîner, les garçons passent l'aspirateur dans le bureau du directeur, et font briller ses chaussures et reluire son pupitre. À la récréation, ils lui coupent les ongles et repassent sa cravate.

En un mot, ils consacrent tous leurs moments libres à faire les quatre volontés de M. Bougon.

Après l'école, Georges et Harold tondent la pelouse du directeur, s'occupent de son jardin et se mettent à peindre le devant de sa maison. M. Bougon sort de chez lui au coucher du soleil et leur remet à chacun une pile de livres.

« Messieurs, dit-il, j'ai demandé à vos professeurs de vous donner des devoirs supplémentaires. Vous pouvez donc retourner chez vous où vous ne chômerez pas, c'est moi qui vous le dis. Nous nous reverrons ici à six heures du matin. Une journée chargée vous attend demain. »

« Merci, Monsieur! », disent-ils faiblement.

Georges et Harold sont complètement exténués.

« Pff, c'était le pire jour de ma vie », dit Georges.

« T'en fais pas, ajoute Harold. Il nous reste seulement huit ans de travaux forcés. Après, on peut aller à un endroit où on ne nous trouvera pas. L'Antarctique peut-être. »

« J'ai une meilleure idée », dit Georges.

Il tire un bout de papier de sa poche et le tend à Harold. Ça vient d'un vieux magazine où une annonce vante les mérites de l'Anneau hypnotique 3-D.

« Je vois pas comment ce bidule-là va pouvoir nous aider », commente Harold.

« Tout ce qu'on a à faire, c'est d'hynoptiser M. Bougon, dit Georges. Il nous redonnera la vidéo et il oubliera toute l'affaire. »

« Bonne idée! ajoute Harold. Et on a juste quatre à six semaines à attendre. »

# CHAPITRE 9
# DE 4 À 6 SEMAINES PLUS TARD

Après quatre à six semaines de travaux forcés, de devoirs infaisables et de comportements incroyablement angéliques en classe, un paquet des Produits ACME arrive enfin dans la boîte postale de Georges.

Enfin! L'Anneau hypnotique 3-D!

« Alléluia! s'exclame Georges. C'est exactement ce que je voulais. »

« Je veux voir! » s'écrie Harold.

« Regarde pas l'anneau directement, lui dit Georges. Tu veux quand même pas te faire hynoptiser? »

« Penses-tu que ça va vraiment marcher? demande Harold. Penses-tu qu'on peut vraiment "éblouir nos amis, contrôler nos ennemis et être maîtres de l'univers", comme l'annonce le dit? »

« C'est mieux de marcher, dit Georges, sinon j'aurai gaspillé quatre dollars. »

# CHAPITRE 10
# L'ANNEAU HYPNOTIQUE 3-D

Le lendemain matin, Georges et Harold arrivent en retard chez M. Bougon, alors qu'ils sont censés laver sa voiture et réparer son toit. En fait, ils sont même en retard à l'école.

Lorsqu'ils arrivent enfin, M. Bougon les attend à la porte d'en avant. Et il est fou furieux!

M. Bougon reconduit les garçons jusqu'à son bureau et claque la porte.

« OK, où étiez-vous ce matin? », grogne-t-il.

« On voulait passer chez vous, dit Georges, mais on était occupés à essayer de comprendre comment l'anneau fonctionnait. »

« Quel anneau? », demande M. Bougon.

Georges tend la main et montre l'anneau au directeur.

« Il y a dessus une espèce de dessin psychédélique, dit Harold. Vous le verrez mieux si vous le regardez assez longtemps. »

« Bouge pas, hurle M. Bougon. Je peux rien voir. »

« Il faut que je fasse aller ma main d'avant en arrière, dit Georges. Sinon, ça marchera pas. »

M. Bougon suit l'anneau des yeux. En avant et en arrière, en arrière et en avant, en avant et en…

« Vous devez regarder plus intensément, dit Harold. Plus intensément… plus in-ten-sé-ment… plus in-teen-sééé-meent… iiin-teeen-séééé-meeent… »

« Vos paupières sont lourdes, dit Georges, trèèèès lououourdes. »

Les paupières du directeur commencent à s'affaisser. « Mes paupièèères sont louourdes », marmonne-t-il.

Au bout de quelques minutes, M. Bougon dort profondément. Il se met même à ronfler.

« Tu es en notre pouvoir, dit Georges. Lorsque je ferai claquer mes doigts, tu obéiras au son de notre voix. »

Clac!

« Jedoisobéiiiir », marmonne M. Bougon.

« OK, dit Georges, as-tu encore la vidéo? »

« Ouououiii », murmure M. Bougon.

« Donne-moi-la », ordonne Georges.

M. Bougon déverrouille un grand classeur et ouvre le tiroir du bas. Il en tire la vidéo et la tend à Georges qui la met dans son sac à dos.

Harold prend une deuxième vidéo de son sac et la dépose dans le classeur.

« Qu'est-ce qu'il y a sur cette vidéo-là? », demande Georges.

« Ah! C'est une des vieilles vidéos de *Chantez avec Barnabé le dragon* de ma sœur. »

« Bonne idée! », s'exclame Georges.

# CHAPITRE 11

# LES HYPNOTISEURS

En se penchant pour fermer le classeur, Harold jette un coup d'œil rapide à l'intérieur.

« Wow! s'exclame-t-il. Viens voir tout ce qu'il y a là-dedans. »

Le classeur regorge d'objets confisqués à Georges et à Harold au cours des dernières années : frondes, coussins péteurs, planches à roulettes, faux caca de chien… tout est là!

« Regarde ça! s'écrie Georges. Une grande pile de *Capitaine Bobette!* »

« Il a tous les numéros! », s'exclame Harold.

Les deux garçons passent des heures à rire et à lire leurs albums quand, tout à coup, Georges s'aperçoit de l'heure.

« Oups! dit-il. C'est presque l'heure du dîner. On ferait mieux de ramasser nos affaires et d'aller au cours. »

Ils examinent leur directeur qui, toute la matinée, est resté debout derrière eux dans un état de transe.

« Zut! Je l'avais presque oublié, lui, s'exclame Harold. Qu'est-ce qu'on va faire de lui? »

« Veux-tu t'amuser un peu? », demande Georges.

« Et pourquoi pas? dit Harold. Ça fait plus de 4 semaines que je ne me suis pas amusé. »

« Super! », répond Georges. Il s'approche de M. Bougon et fait claquer ses doigts. *Clac!* « Tu es un... *poulet* », dit-il.

Et M. Bougon saute sur le pupitre et se met à battre des « ailes ». « *Cot, cot, cot!* », fait-il en repoussant du pied les papiers qui se trouvent sur le bureau et en picorant son porte-crayon.

Georges et Harold hurlent de rire.

« Je veux essayer, je veux essayer », demande Harold.

« Hum... tu es un... *singe*. »

« Il faut que tu fasses claquer tes doigts », précise Georges.

« Oh! c'est vrai! dit Harold. *Clac!* Tu es un *singe*. »

Soudain, M. Bougon saute au plafond et se pend à la lampe fluorescente. « *Ouk, ouk, ouk!* », crie-t-il en sautant d'un bout à l'autre de la pièce.

Georges et Harold rient aux larmes.

« C'est à mon tour! s'exclame Georges. Voyons… Qu'est-ce que je pourrais lui faire faire maintenant? »

« Je sais, dit Harold en tenant un album du capitaine Bobette. Changeons-le en capitaine Bobette! »

« Bonne idée! dit Georges. *Clac!* Tu es maintenant le plus grand superhéros de tous les temps : l'extraordinaire capitaine Bobette! »

M. Bougon arrache le rideau rouge de la fenêtre et en fait une cape qu'il pend à son cou. Il retire ses chaussures, ses chaussettes, sa chemise, son pantalon et son horrible perruque.

« Tra-la-laaa! », lance-t-il.

M. Bougon se tient devant eux, arborant un air de triomphe, la cape flottant au vent. Georges et Harold en ont le souffle coupé.

« Tu sais, dit Georges. Il ressemble un peu au capitaine Bobette. »

« Oui », souffle Harold.

Après un bref silence, ils se regardent et éclatent de rire. Ils n'ont jamais autant ri de leur vie. Pris d'hystérie, ils se roulent sur le plancher en riant à chaudes larmes.

Au bout d'un moment, Georges se lève et regarde autour de lui.

« Hé! Où est-il passé? », demande Harold.

# CHAPITRE 12
# LES AVENTURES DU CAPITAINE BOUGON

Georges et Harold se précipitent à la fenêtre et regardent dehors. Ils voient un vieil homme rondouillard portant un caleçon et une cape rouge traverser le stationnement en courant.

« M. Bougon, revenez! », s'écrie Harold.

« Il ne comprend pas, dit Georges. Il croit qu'il est le capitaine Bobette. »

« Oh non! », commente Harold.

« Il est probablement parti lutter contre le crime », dit Georges.

« Oh non! », dit Harold.

« Il faut l'arrêter », dit Georges.

« Ah NON! PAS QUESTION! », proteste Harold.

« Écoute, il pourrait se faire tuer », dit Georges.

Harold reste impassible.

« Ou pire, dit Georges, on pourrait avoir de GROS ennuis! »

« OK, OK, dit Harold, on va le sauver. »

Ils ouvrent le tiroir du bas du classeur et en tirent leurs frondes et leurs planches à roulettes.

« Penses-tu qu'on devrait apporter quelque chose d'autre? », demande Harold.

« Oui, dit Georges. Si on apportait le faux caca de chien? »

« Bonne idée! approuve Harold. On sait jamais quand ça peut servir. »

Harold met dans son sac les vêtements, les chaussures et la perruque de M. Bougon, puis les deux garçons sautent par la fenêtre, se laissent glisser le long du mât du drapeau et s'élancent à la recherche du capitaine Bobette.

# CHAPITRE 13
# BANDITS

Georges et Harold parcourent toute la ville en planche à roulettes à la recherche du capitaine Bobette.

« Je le trouve nulle part », se plaint Harold.

« Qui aurait cru qu'un homme en bobette et en cape rouge serait si difficile à trouver? », ajoute Georges.

C'est alors qu'ils l'aperçoivent au coin de la rue. Le capitaine Bobette se tient devant une banque, avec la noble prestance d'un vrai héros.

« M. Bougon », fait Harold.

« Chut! souffle Georges, ne l'appelle pas par son vrai nom. Appelle-le Capitaine Bobette! »

« C'est vrai », acquiesce Harold.

« Et n'oublie pas de faire claquer tes doigts! », ajoute Georges.

« OK », dit Harold.

Mais, avant qu'il n'en ait la chance, les portes de la banque s'ouvrent brusquement et deux voleurs en sortent. Les voleurs jettent un coup d'œil sur le capitaine Bobette et s'arrêtent net.

« Rendez-vous! s'exclame le capitaine Bobette. Sinon, vous m'obligerez à me servir du Bobette Power. »

« Oh non! », chuchotent Harold et Georges.

Le temps s'arrête pendant 10 secondes, puis les voleurs se regardent et éclatent de rire. Échappant leur butin, ils s'écroulent de rire sur le trottoir.

Les policiers arrivent à l'instant même et arrêtent les bandits.

« Ça vous apprendra, s'écrie le capitaine Bobette. Ne sous-estimez jamais le pouvoir des caleçons. »

Furieux, le chef de police s'approche du capitaine Bobette.

« Eh t'es qui, toi? », demande le chef de police.

« Je suis le capitaine Bobette, le plus grand superhéros au monde, répond-il. Je fais régner la vérité et la justice, et je lutte pour tous les tissus prérétrécis et faits de coton. »

« Ah oui!?! crie le chef de police. Eh, les gars! Passez-lui les menottes! »

Un policier tire des menottes de ses poches et prend le capitaine Bobette par le bras.

« Oh oh! s'écrie Georges. Il faut le tirer de là! » Les deux garçons se faufilent à travers les policiers et les passants. Harold se dirige vers le capitaine Bobette et le fait tomber. Georges l'attrape dans ses bras, et les deux garçons s'enfuient en planche à roulettes en emportant le capitaine Bobette sur leurs épaules.

Les policiers leur crient de s'arrêter, mais il est trop tard. Georges, Harold et le capitaine Bobette sont déjà partis.

## CHAPITRE 14
## LE BIG BANG

Georges, Harold et le capitaine Bobette s'arrêtent à un coin de rue désert pour reprendre leur souffle.

« OK, dit Georges. Il faut le réveiller le plus vite possible avant qu'une catastrophe...

... arrive! »

Une explosion assourdissante se fait entendre de l'autre côté de la rue, à la boutique Cristaux rares. Une fumée épaisse sort de la boutique quand soudain, deux robots en surgissent, un cristal à la main, et grimpent dans un vieux camion.

« Est-ce que j'ai bien vu deux ROBOTS entrer dans le camion? », demande Harold.

« Tu sais, dit Georges, jusqu'ici cette histoire était presque croyable! »

« Je ne sais pas si cette histoire est croyable ou pas, dit Harold. Tout ce que je sais, c'est que je ne veux pas m'en mêler. Je répète : je ne veux PAS m'en mêler. »

C'est à ce moment-là que le capitaine Bobette saute et se plante devant le camion.

« Arrêtez au nom des caleçons! », crie-t-il.

« Oh oh! Je crois qu'il faut s'en mêler », dit Georges.

Les deux robots démarrent le camion et essaient d'éviter le capitaine Bobette. Malheureusement, le camion accroche sa cape et le capitaine est emporté brutalement. Le camion s'éloigne, le capitaine Bobette suspendu à l'arrière.

« ATTRAPE-LE! », crie Georges.

Les deux garçons s'élancent à la poursuite du camion, à pleines roulettes, et finissent par attraper le capitaine Bobette par les chevilles.

« AU SECOUOUOURS! », crient-ils en dévalant les rues de la ville.

« Maman, dit un petit garçon assis sur un banc, je viens de voir deux robots qui conduisaient un camion. Derrière, il y avait un monsieur en bobette suspendu par sa cape rouge et il tirait deux garçons en planche à roulettes qui le tenaient par les pieds. »

« Comment veux-tu que je crois une histoire aussi ridicule », demande la mère.

Le camion finit par s'arrêter brusquement devant un vieil entrepôt abandonné. Le capitaine Bobette passe par-dessus le camion et à travers la porte de l'immeuble.

« Tiens, tiens, tiens, tiens, dit une voix étrange provenant de l'entrepôt. On dirait que nous avons un visiteur. »

# CHAPITRE 15
# LE DOCTEUR COUCHE

Georges et Harold se cachent derrière le camion jusqu'à ce que la voie soit libre, puis ils se faufilent jusqu'à un trou dans la porte, et jettent un coup d'œil à l'intérieur.

Le capitaine Bobette est ligoté comme une saucisse, les deux robots montent la garde et un drôle de petit bonhomme en couche rit comme un dément.

« Je suis l'affreux docteur Couche, confie le drôle de petit bonhomme au capitaine Bobette. Et vous allez être le premier à assister à ma conquête du monde. »

Le docteur Couche dépose le cristal volé sur une grande machine appelée le *Laser-Matique 2000*. L'appareil se met en marche : les témoins clignotent, le moteur gronde et les engrenages tournent quand, soudain, un rayon laser jaillit du cristal et passe à travers un trou du plafond.

« Dans exactement vingt minutes, le rayon laser fera exploser la Lune dont les morceaux viendront s'écraser sur les principales villes du monde, s'esclaffe le docteur Couche. C'est alors que je m'emparerai de la planète. »

« Il n'y a qu'une chose qui peut nous sauver en ce moment », déclare Georges.

« Quoi donc? », demande Harold.

« Le faux caca de chien », dit Georges.

Harold fouille dans le sac de Georges, en tire le faux caca et la fronde, et les remet à Georges.

« Fais attention, recommande Harold, le sort de toute la planète est entre tes mains. »

Georges vise soigneusement et tire le caca en plastique qui atterrit en faisant *ploc* aux pieds du docteur Couche.

« Beau coup! », murmurent Georges et Harold.

Le docteur Couche s'aperçoit qu'il y a un caca à ses pieds et rougit intensément.

« Oh non! crie-t-il. Veuillez m'excuser de cette situation, ma foi, fort embarrassante. »

Il se dirige vers la salle de bains. « Je vous assure, Messieurs, que c'est la première fois que j'éprouve cette sorte de problème, dit-il. Je suppose que, transporté d'enthousiasme, je me... je me.. oh non! oh non!... »

Pendant que le docteur Couche se change dans la salle de bains, Georges et Harold entrent dans le vieil entrepôt en marchant à pas de loup.

Les robots les détectent immédiatement et avancent dans leur direction en répétant : « Détruire envahisseurs. Détruire envahisseurs. »

Georges et Harold crient et courent jusqu'à l'arrière de l'entrepôt. Heureusement, Georges trouve deux vieilles planches et en donne une à Harold.

« On va pas être obligé d'avoir recours à une extrême violence, n'est-ce pas? »

« J'espère bien que non », répond Georges.

# CHAPITRE 16
# CHAPITRE D'UNE EXTRÊME VIOLENCE

**AVERTISSEMENT :**

**Le chapitre suivant comporte des scènes violentes où l'on peut voir deux petits garçons pulvériser littéralement deux robots.**

**Si vous avez des problèmes de tension artérielle, ou si vous vous évanouissez à la vue de l'huile à moteur, nous vous suggérons fortement de prendre mieux soin de votre santé et d'arrêter de vous comporter en gros bébé lala.**

Tout le monde le sait : rien de tel qu'un processus d'animation quétaine pour donner du piquant aux scènes de violence gratuite!

C'est pourquoi nous sommes fiers de vous présenter, pour la première fois dans l'histoire de la grande littérature, le tout dernier gadget produit par la technologie de l'animation quétaine. Mesdames et Messieurs, voici le **Tourne-o-rama!**

# PILKEY[MD]-O-RAMA

## MODE D'EMPLOI :

**Étape nº 1**

Place la main gauche sur la zone marquée « MAIN GAUCHE » à l'intérieur des pointillés. Garde le livre ouvert et bien à plat.

**Étape nº 2**

Saisis la page de droite entre le pouce et l'index de la main droite (à l'intérieur des pointillés, dans la zone marquée « POUCE DROIT »).

**Étape nº 3**

Tourne rapidement la page de droite dans les deux sens jusqu'à ce que les dessins aient l'air animé.

(Pour avoir encore plus de plaisir, tu peux faire tes propres effets sonores!)

# TOURNE-O-RAMA 1

(pages 83 et 85)

N'oublie pas de tourner seulement la page 83.

Assure-toi de pouvoir voir les dessins aux pages 83 et 85 en tournant les pages. Si tu les tournes assez vite, les dessins auront l'air de ne faire qu'un.

N'oublie pas de faire
tes propres effets sonores!

**MAIN GAUCHE**

# LES ROBOTS ATTAQUENT!

INDEX
DROIT

# LES *ROBOTS* ATTAQUENT!

# TOURNE-O-RAMA 2

(pages 87 et 89)

N'oublie pas de tourner seulement la page 87.

Assure-toi de pouvoir voir les dessins aux pages 87 et 89 en tournant les pages. Si tu les tournes assez vite, les dessins auront l'air de ne faire qu'un.

N'oublie pas de faire
tes propres effets sonores!

**MAIN GAUCHE**

# GEORGES À LA RESCOUSSE!

INDEX
DROIT

# GEORGES À LA RESCOUSSE!

# TOURNE-O-RAMA 3

N'oublie pas de tourner seulement la page 91.

Assure-toi de pouvoir voir les dessins aux pages 91 et 93 en tournant les pages. Si tu les tournes assez vite, les dessins auront l'air de ne faire qu'un.

N'oublie pas de faire
tes propres effets sonores!

**MAIN GAUCHE**

# HAROLD À LA RESCOUSSE!

INDEX
DROIT

# HAROLD À LA RESCOUSSE!

# TOURNE-O-RAMA 4

N'oublie pas de tourner seulement la page 95.

Assure-toi de pouvoir voir les dessins aux pages 95 et 97 en tournant les pages. Si tu les tournes assez vite, les dessins auront l'air de ne faire qu'un.

N'oublie pas de faire
tes propres effets sonores!

**MAIN GAUCHE**

# FERRAILLE À VENDRE!

POUCE DROIT

INDEX
DROIT

# FERRAILLE À VENDRE!

# CHAPITRE 17
# FUITE

Après avoir vaincu les robots, Georges et Harold libèrent le capitaine Bobette.

« Viens! crie Harold. Partons d'ici! »

« Attendez! proteste le capitaine Bobette. Il faut d'abord sauver la planète. »

Georges, Harold et le capitaine Bobette examinent le *Laser-Matique 2000* sous toutes ses coutures, afin de trouver un moyen d'arrêter cette machine infernale et d'empêcher la catastrophe.

« Hum! dit Harold. Je crois avoir trouvé le bon levier. »

Il tire de toutes ses forces sur le levier d'autodestruction. Le *Laser-Matique 2000* est saisi d'une secousse, puis le rayon laser s'éteint et les pièces de la machine commencent à jaillir de toutes parts.

« Elle va bientôt EXPLOSER, crie Harold. SAUVE-QUI-PEUT! »

« PAS SI VITE! crie le docteur Couche, apparaissant soudain de nulle part. Vous avez démoli mes robots. Vous avez détruit mon *Laser-Matique 2000*. Et vous avez réduit à néant mon unique chance de conquérir le monde – mais vous ne vivrez pas assez longtemps pour le raconter. » Le docteur Couche dégaine son *pistolaser Couchomatique 2000* et le pointe en direction des trois compères.

Le capitaine Bobette étire rapidement un caleçon et le lance en direction du docteur Couche. Le caleçon frappe de plein fouet la tête du docteur.

« Au secours! crie-t-il. Je ne vois plus rien! Je ne vois plus rien! »

Georges et Harold prennent leurs jambes à leur cou et s'enfuient de l'entrepôt.

« Beau coup, capitaine Bobette! », s'exclame Harold.

« Il y a juste une chose que je ne comprends pas, demande Georges. Où donc avez-vous trouvé la deuxième paire de bobettes? »

« Quelle deuxième paire? », demande le capitaine Bobette.

« Laisse faire, s'exclame Georges. L'important, c'est de partir d'ici avant que le *Laser-Matique 2000* ex... »

BADA
BOUM

... plose! »

Le *Laser-Matique 2000* explose et, avec lui, l'entrepôt. Des particules de métal brûlant jaillissent en tous sens, des langues de feu tombent du ciel et la terre tremble sous leurs pieds.

« Oh NON! crie Harold. ON VA TOUS MOURIR! »

# CHAPITRE 18
# BREF...

Ils s'enfuient.

# CHAPITRE 19
# DE RETOUR À L'ÉCOLE

Georges, Harold et le capitaine Bobette s'arrêtent devant le poste de police, attachent le docteur Couche à un lampadaire et épinglent une note sur sa couche.

« Voilà! s'exclame le capitaine Bobette. Ça devrait tout expliquer. »

ARRÊTEZ-MOI!
POSTE DE POLI
DE RETOUR DANS 15 MINUTES
VEUILLEZ NE PAS COMMETTRE DE CRIME DURANT NOTRE ABSENCE.
Merci.

Georges et Harold reconduisent le capitaine Bobette à l'école élémentaire Jérôme-Hébert.

« Qu'est-ce qu'on fait ici? », demande le capitaine Bobette.

« Euh, dit Georges, c'est que vous êtes envoyé ici en mission secrète. »

« C'est ça, confirme Harold en fouillant dans son sac à dos, enfilez ça en vitesse. »

« N'oubliez pas vos cheveux », dit Georges.

Dissimulé derrière un buisson, le capitaine Bobette s'habille en un clin d'œil. « Eh bien, de quoi ai-je l'air? », demande-t-il.

« C'est très bien, dit Georges, essayez maintenant d'avoir l'air féroce! »

Le capitaine Bobette arbore l'expression la plus féroce qu'il connaisse.

« Tu sais, glisse Harold, il ressemble drôlement à M. Bougon. »

« Harold, murmure Georges, c'est M. Bougon! »

« C'est vrai, dit Harold, j'avais oublié. »

Ils se retrouvent tous dans le bureau de M. Bougon.

« OK, Capitaine Bobette, dit Georges, vous êtes maintenant M. Bougon. »

« Fais claquer tes doigts », murmure Harold.

« C'est vrai, dit Georges. *Clac!* Vous êtes maintenant M. Bougon. »

« Qui est M. Bougon? », demande le capitaine Bobette.

« Oh NON! s'écrie Harold. Ça marche pas! »

Les deux garçons essaient encore et encore de réveiller le capitaine Bobette, mais on dirait que rien ne fonctionne.

« Hum! dit Harold. Passe-moi le manuel d'instruction de l'anneau. »

Georges fouille dans ses poches de pantalon.

« Euh, bredouille-t-il, je crois que je l'ai perdu. »

« QUOI? », crie Harold. Ils ont beau fouiller le bureau de fond en comble, le manuel reste introuvable.

« Tant pis! dit Georges. J'ai une idée. » Il retire les fleurs d'un grand vase qui se trouve dans le coin et verse l'eau sur la tête du capitaine Bobette.

« Pourquoi as-tu fait ça? », demande Harold.

« J'ai vu ça dans un dessin animé à la télé. Ça devrait marcher », répond Georges.

Au bout de quelques minutes, M. Bougon reprend peu à peu connaissance. « Qu'est-ce qui se passe ici? demande-t-il. Et pourquoi est-ce que je suis tout mouillé? »

De leur vie, jamais Georges et Harold n'ont été aussi contents de voir M. Bougon.

« J'ai presque envie de pleurer », déclare Harold.

« Eh bien, vous allez pleurer lorsque j'aurai remis la vidéo à l'équipe de football! crie M. Bougon. J'en ai plus qu'assez de vous deux! »

Le directeur prend la vidéo dans son classeur. « Vous êtes finis, les gars! », ricane-t-il. Il sort en coup de vent de son bureau et se dirige vers le gymnase.

Georges et Harold sourient. « Attends que l'équipe de foot voit son vidéo », dit Harold.

« Ouin, approuve Georges, je suis sûr qu'ils aiment chanter avec *Barnabé le dragon*. »

« Regarde! dit Georges. J'ai trouvé le manuel d'instruction de l'anneau. Il était dans la poche de ma chemise, pas dans mes poches de pantalon! »

« Tu peux le jeter maintenant, dit Harold, on n'en aura plus besoin. »

« J'espère bien que non », acquiesce Georges.

# CHAPITRE 20
# FIN?

Rien ne fut tout à fait pareil à l'école élémentaire Jérôme-Hébert après cette journée fatidique.

L'équipe de football eut tellement de plaisir à regarder la vidéo de M. Bougon qu'elle prit le nom des *Amis chantants de Barnabé le dragon*. Le changement de nom ne fut pas très populaire auprès des fans, mais qui oserait se disputer avec les quarts-arrières d'une équipe de football?

Georges et Harold reprirent leur routine : ils firent de nouvelles farces et écrivirent de nouveaux albums de bandes dessinées.

Il leur fallait cependant surveiller M. Bougon du coin de l'œil...

... car, pour une raison que personne ne comprenait, chaque fois que quelqu'un faisait claquer ses doigts...

*Clac!*

... le directeur se transformait en...

... vous-savez-qui!

« Oh non! », s'écrie Harold.

« Et v'là que ça recommence! », enchaîne Georges.

TRA-
LA-
LAAA!

# À PROPOS DE L'AUTEUR

Quand Dav Pilkey était à l'école primaire,
il se faisait souvent punir pour ses farces
et ses albums de bandes dessinées.
En deuxième année, il a inventé
son personnage le plus célèbre :
le CAPITAINE BOBETTE!

Le professeur de Dav lui a dit un jour :
« Tu ferais mieux d'être un peu plus sérieux,
mon garçon. Tu ne peux quand même pas
passer le restant de tes jours à faire
des albums farfelus. »

Comme vous le voyez, Dav n'écoutait pas
beaucoup ses professeurs!

Dav Pilkey n'a pas créé que
*Les aventures du capitaine Bobette*,
il a également écrit un tas d'autres livres
tout aussi passionnants les uns que les autres.